시선의 닻

시선의 닻

발 행 | 2024년 05월 08일
저 자 | 정민희
펴낸이 | 한건희
펴낸곳 | 주식회사 부크크
출판사등록 | 2014.07.15(제2014-16호)
주 소 | 서울특별시 금천구 가산디지털1로 119 SK트윈타워 A동 305호
전 화 | 1670-8316
이메일 | info@bookk.co.kr

ISBN | 979-11-410-8417-2

시선의 닻

정민희

시선의 끝에 마음이 매달려 던지고 거둬들인 모든 순간에 미련이 딸려 왔다.

미련이 마음에 자리 잡고 시선이 닿는 모든 곳에서 그때를 떠올리게 하고 시선이 닿는 그 어딘가에 내가 있던 순간을 눈 앞에 펼친다.

그러니 매 순간 다짐한다.

모든 것에서 미련이 느껴지더라도 그 흔적만 사랑하겠다고. 미련이 마음을 헤집어 놓더라도 버텨 낼 것이다. 미련이 남긴 아쉬움이라는 흔적으로 살아 내겠다고 다짐한다.

차례

1 장

지나온 시간에 미련이 남아서 사진을 찍기 시작했다. 그 순간을 간직하고 싶었고 흔적을 남기면 그 순간을 다시 보지 못한다는 미련에서 잠시나마 헤어나올 수 있었다.

마음의 끝자락에 항상 미련이 매달려서 짓누르는 걸 느꼈다.

지나온 것은 잊어야 편하다는 것을 알면서 쉽게 되지 않는다. 지나온 시간 속에 미련이 가득하다.

숨이 턱 막혀오는 느낌을 받으며 셔터를 누른다. 눈 앞의 순간을 담으면 잠깐이나마 미련에서 벗어나 행복이 밀려 들어온다.

너를 보는 것도 그러했다.

보고 있어도 보고싶었다 그리워하면 할수록 그리워졌다. 너의 작은 행동 하나하나를 눈에 담을 때마다 마음의 끝자락이 찰랑거리는 게 느껴졌다.

이건 무슨 느낌이라고 해야 할까?

뭉클하면서도 답답하다. 벅차 오른다.

눈을 한 번 깜빡일 때 마다 행복이 밀려 들어온다.

눈을 한 번 깜빡일 때 마다 서러움이 밀려 들어온다.

너와 더 함께 하고 싶다.

오래도록 건강하게 행복한 모습을 오래도록 보고싶다.

오늘도 셔터를 누른다.

한 번의 셔터에 내 바람이 가 닿기를 바란다.

내일 또 만나.

내달에 또. 다음에 또.

우리 또 다시 만나자.

햇볕이 뜨겁게 내리 쬐던 날이었다.

평범한 골목 사이에서 흐드러지게 핀 능소화를 발견했을 때 마치 너를 발견한 것처럼 탄성이 나왔다.

인파 속에서 너를 단번에 알아보던 그때가 새삼 떠오르는 순간이었다.

해가 바뀌고 계절이 돌아오면 그 때에 맞춰 다시 보게 되는 꽃처럼 너도 다시 만날 수 있다면 좋겠다는 소원을 빌었다. 매일 매달 매해가 아니어도 좋으니 언젠가 또 만날 수 있으면 좋겠다는 미련이 가득한 소원을.

언젠가 다시 만나지 못한다 해도 너의 모든 순간이 내 미련의 깊이만큼 행복할 수 있다면 좋겠다.

결국 내가 원하는 건 단 한가지 밖에 없다.

너의 햇볕이 따사롭기를 바란다.

언제나 지켜 줄게

아침에 눈을 뜨니 쇠사슬에 묶인 것 같았다.

물에 젖은 솜뭉치처럼 무거워진 몸을 이끌고 의자에 앉아 봐도 소용이 없다.

또 다시 침대에 누워 흐르는 눈물을 닦으면서도 나는 포기할 수가 없다.

포기하지 않을 것이라고 스스로에게 되뇌었다.

 나를 지켜주는 것들을 떠올린다.

내가 사랑하는 사람들. 내가 사랑하는 것들.

나의 사랑들. 나 자신,

 언제든지 말해 줄게.

사랑해. 내 고통의 깊이만큼 너의 행복을 바랄 수 있다면 기꺼이 원할 정도로. 나는 네가 언제든지 행복했으면 좋겠어.

행복할 수 없다면 네가 건강했으면 좋겠어. 건강하고 기쁜 일이 가득했으면 좋겠어. 당차고 씩씩하게 오늘을 살고 내일을 맞이했으면 해.

따사로운 햇볕을 느끼며 길을 걷고 하늘을 바라봤으면 해. 싱그러운 수풀을 바라보고 길가의 꽃을 바라보며 가볍게 행복을 느꼈으면 해.

내 온마음으로 바라.

네가 빗방울을 맞으며 찰랑이는 웅덩이를 밟고서 신이 난 표정으로 웃는 모습을 상상해. 우산끼리 부딪히며 튀는 빗방울에도 웃을 수 있는 날이 언젠가는 올 거야.

그러니 기쁜 마음으로 기다리면 돼.

할 수 있어. 버텨낼 수 있어.

내가 언제나 지켜 줄게.

함께라서 기쁜 하루의 연속

그때를 떠올려.

너와 함께 있던 날. 너를 바라보고 너의 목소리를
듣던 그 날을 떠올리면 우리가 함께했던 추억의
따스함이 마치 노을 빛처럼 마음에 퍼져,

너와 함께 라서 그리고 이 하늘 아래 함께해서
기뻐. 내가 보는 저 별 아래 어딘가 네가 있다고
생각하니 매일이 기뻐.

그러니 나는 오늘도 살아낼 수 있어.

저 노을이 너에게서 느꼈던 따스함 같고 푸른 하늘은 너의 시원한 웃음 같아. 반짝이는 별은 너의 눈을 닮았고 불어오는 바람은 너의 작은 행동을 떠올리게 해. 그래. 그래서 나는 오늘도 살아내.

그러니 너 또한 오늘도 살아 내기를 바랄 게.

너의 모든 고통이 사라질 수는 없겠지만 너를 힘들게 하는 것으로부터 네가 거뜬하게 이겨내고 버텨 내기를 진심으로 바라.

언제나 마음이 평화롭기를 바라고 바라.

아쉬움의 뭉게구름

 우울이 뭉게구름처럼 피어 오른다.
아무리 잠을 자도 소용이 없다. 아무렇지 않게 밥을
먹고 일상생활을 해도 한 번 피어 오른 우울이 내
안에 가득 차 숨을 죄어온다

아쉽다. 나는 너무나도 아쉽다.
이 우울이 조금만 덜어졌더라면 너를 더 건강하게
사랑할 수 있을 텐데.
너를 더 건강하게 맞이하고 더 진심 어린 용기를 건네
줄 수 있었을 텐데.

내 마음에 우울이 가득차서 너에게 주는 내 마음이
깨끗하지 못한 게 아쉽다.
아쉬움이 비처럼 내려 나를 적신다.

그래도 사랑해.
너를 향한 마음에 나의 우울이 있을 터이지만 한 톨의
거짓은 없다고 맹세해.
맹세할 게.

이 우울에서 벗어날 수 있을까?

언젠가 이 우울에서 벗어난다면 너의 평화에 함께하고 싶다. 따사로운 너의 만개한 미소를 마주하고 함께 시원한 물 한잔을 들이 켜는 상상을 해본다.

몸 안의 잡념이 깨끗하게 씻겨 내려가는 느낌이 절로 든다. 너를 떠올리고 너와 함께하는 상상만으로도 세상을 살아 낼 힘이 생겨난다.

그러니 언젠가 한 번이라도 너에게 우울이 지속되는 날이 온다면 나를 떠올려. 나를 생각해 줬으면 해.

내가 너에게 힘을 얻듯이 너 또한 힘을 얻길 바라.

나를 지켜보려 해

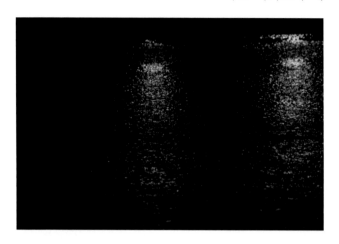

어느 날이었지.

하늘을 바라보니 해와 달이 공존해 있었어. 그 모습을 보는데 문득 그런 생각이 들더라.

인정하고 함께하는 것도 나쁘지 않겠구나.

내가 지우고 외면하고 싶은 것이 지금의 나를 만들었을 테니까.

그렇게 생각하니 지금의 나도 나쁘지 않은 것 같아. 그래. 너도 그렇게 생각하겠지?

건물 사이로

매일 지나가는 건물 사이로 황홀경을 본 날이었다.

분명 해는 뜨겁고 여느 때와 똑 같은 날인데 우연히 돌아본 건물의 틈 사이에 작품이 펼쳐져 있었다.

 하루의 사소한 행복이란 이런 것이겠지.

어느 날 발견한 우연이라는 선물을 온전히 느끼고 누릴 수 있는 마음.

마음 속에 폭풍이 치고 있더라도 우연히 떠오르는 행복했던 기억들을 마주하는 순간의 기쁨.

 너는 나에게 그런 존재야.

너는 나에게 그런 존재야.

너는.

결국에는 나와 너의 행복을 바라

오늘도 행복하기를 진심으로 바라.

밥을 먹다 말고 네가 행복했으면 좋겠어.

차를 들이켜다 말고 네가 행복했으면 좋겠어.

운전을 하다 가도 네가 행복했으면 좋겠고.

일을 하다 가도 네가 행복했으면 좋겠어.

좋은 경치를 보면서도 네가 행복했으면 좋겠고.

시원한 바람을 느끼면서도 네가 행복했으면 좋겠어.

따스한 햇볕을 느끼면서도 너의 행복을 바라고.

맛있는 음식을 발견할 때마다 너의 행복을 바라.

밤하늘의 별을 바라보면서도 너의 행복을 바라.

빗소리를 들으면서도 너의 행복을 바라고 있어.

그러니 언제나 행복해야 돼.

행복할 수 없는 순간에도 행복하기를 바랄 게.

과속방지턱 사이의 민들레

견디고 견뎌낸 마음에 언젠가 반드시 꽃이 필 거야.

비가 오겠지. 폭풍도 치고 흐릴 거야.

그래도 버텨내고 견디어 내기를 바랄 게. 언젠가 너만의 꽃을 피울 그 날을 나는 진심으로 기다리고 있어.

그러니 악착같이 버텨내고 이겨 내기를 바라. 결국에 피워낸 너의 꽃을 보게 되는 날 제일 먼저 환영해 줄 수 있는 날을 고대해.

너의 꽃이 피어 너의 행복이 전해지는 모든 순간을 나는 설레는 마음으로 기다릴 게.

구름 사이로

저 구름 너머에는 내가 가장 원하는 것이 있어.

그리움이 넘실거려

넘실거리는 파도를 따라 내 그리움도 넘실거린다.

너에 대한 그림움은 마치 파도 같아서 저 멀리 행복한 모습의 너를 보고싶다는 마음이 가시는 것만 같다가도 또 다시 밀려들어 온다.

발치에서 적셔지는 모래사장을 보고 생각했다.

너에 대한 그리움은 사라지는 것 같으면서도 사라지지 않는다. 스며들어 켜켜이 마음에 쌓여가고 있다.

내 그리움의 깊이만큼 오늘도 네가 행복하기를.

날개가 찢어져도

 살아갈 수 있어. 해낼 수 있어.

완벽하지 않아도 너는 도전할 수 있어.

살아 낼 수 있다고 확신해.

 날개가 찢어져도 자유로이 나는 새처럼 너도 그럴 수
있다고 믿어.

내마음을 모르겠어

어떻게 해야 할지 모르겠다.

내 마음을 알다 가도 모르겠는 순간이 쌓여 갈 때마다 깊고 깊은 우물 속에 갇히는 것만 같은 기분에 휩싸인다. 나는 어떻게 해야 할까.

답답한 마음에 이리 뒤척이고 저리 뒤척이다 문득 생각이 들었다.

못 찾겠다. 꾀꼬리!

그래. 찾지 못했을 뿐이다. 내 마음 어딘가 존재하는 내가 알고자 하는 것을 찾지 못했을 뿐이다.

찾지 못했다고 괴로워하지 않기를.

당장 눈 앞에 존재하지 않는다고 슬퍼하지 말기를.

슬픔을 버텨내는 사람이야.

지독한 슬픔을 버텨내서 결국에는 빛을 얻어내어 빛을 발하는 그런 사람이야.

여전히 슬픔 속에서 허우적대고 있어도 괜찮아.

내가 곁에 있을 게.

언제까지나 곁에 있어 줄 게.

우리 내일도 따듯한 햇볕을 느끼자.

따듯한 햇볕 아래를 걷자.

은은하게 풍겨오는 풀내음과 꽃향기를 맡으며 걷자.

선선하게 불어오는 바람을 느끼며 지나가는 사람들을
바라보며 소소한 이야기를 나누자.

우리 내일도 햇볕을 느끼자.

2 장

너는 언제나 빛나

내 마음 속 은은한 빛

어두운 길을 계속해서 걷다 보면 어느 순간 짠 하고 네가 나타나 나를 비춘다.

네가 비춰 준 빛 아래에서 이전까지 있던 많은 어둠을 돌아보며 생각했다.

다음에는 내가 너를 비춰줄 수 있기를.

너를 닮았다고 생각해

여느 때처럼 카메라를 들었던 날이었다.

지나가는 새. 물 위에 앉은 새. 나무 위에 앉은 새. 천천히 지나가는 구름을 찍다가 수풀 사이 잔잔한 수면 위에 앉은 새를 보며 마치 너를 닮았다고 생각했다.

고요하고 잔잔한 너를 닮았어.

너는 모르겠지만 나에게 너는 잔잔한 물결 같아.

보고 있으면 상념을 잊게 하는 잔잔한 물결 말이야.

고요히 찰랑이는 물결은 너의 목소리 같아.

푸른 수풀이 너와 함께한 계절을 떠올리게 해.

그래서 너와 닮았다고 생각해.

너를 닮은 바다

선선한 바람을 느끼며 걸었다.

다정한 너를 닮은 바람이 기분 좋게 나를 스쳐 지나가고 청량한 바다가 너의 올곧은 마음을 닮아서 괜히 발길이 멈춘다.

 시원하게 부서지는 파도가 괜찮다고 말해주는 것만 같다. 너는 잘 하고 있다고 말해주는 것만 같다.

 네가 말해주는 것만 같다.

너를 향한 마음

저 새의 지저귀는 소리가 너에게 닿을 수 있다면 좋겠다. 전하지 못하는 내 마음을 저 새가 대신 전 해 줄 수 있다면 나는 너에게 이 말을 꼭 전하고 싶어.

언제나 너를 사랑하고 있어.

언제나 너를 사랑해.

너의 오후가 따스하기를

어떤 괴로움이 있었다 해도 이겨 내기를 바라.

너의 일상이 고통의 연속이었다 해도 너의 오후만큼은
따스할 거라고 온 마음으로 믿어 의심치 않아.

괜찮아. 너의 오후는 따스 할 거야.

너의 하루는 따스함으로 완성될 거야.

그러니 너무 힘들어도 조금만 버텨 내 주길 바라.

네가 바라보는 곳

네가 바라보는 곳에 네가 원하는 게 있어.

당연한 말이지만 말이야. 그곳이 어디든 그게 무엇이든 너는 네가 원하는 것을 알고 있다는 거야.

네가 원하는 것을 알았으니 이제 고민은 짧게 하기를 바랄 게. 내가 바라는 건 그것 뿐이야.

네가 생각나는 따스함

산을 오르다가 네가 생각나는 따스한 공간을 발견했다. 너는 따스한 숲 같은 존재다.

했던 말을 또 하고 또 하게 되는 따스한 사람이다.

따뜻한 빛을 받으며 걸어 나온 네가 내게 말해 줄
것만 같다.

행복하라고. 언제나 평온하기를 바라고 있다고.

반짝이는 윤슬을 보고 있으니 너와의 추억이 떠올랐다. 반짝반짝 윤슬. 반짝였던 너와의 추억.

반짝였던 너의 눈동자. 너의 미소. 너의 선택.

나는 그런 반짝이는 너를 닮고 싶어.

단조로운 일상을 사랑해

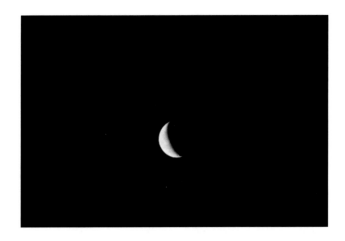

여느 때처럼 일어나 물을 마시고 밥을 먹고 일상 생활을 해냈을 너의 단조로운 일상을 사랑해.

그게 너에게 가장 어려운 일이었을 거라는 걸 잘 알아. 내일도 잘 해낼 수 있을 거야.

너무 걱정하지 마. 너는 여느 때처럼 잘 이겨낼 테니까. 나는 다가 올 너의 단조로운 일상을 기쁜 마음으로 기대하며 기다릴 게.

출근하던 길에 우연히 두 잎 클로버를 발견 했어.

두 잎 클로버의 의미를 찾아보니까 멋진 만남과
평화 조화로움 그리고 평화를 바라는 마음이라는
의미를 가진 거 있지.

우연히 발견한 멋진 만남. 평화를 바라는 마음이 내 안에 깊숙하게 자리잡아.

내 안에 있는 우울이 조금이나마 떨쳐지는 것을 느꼈어.

부디 너의 우울도 떨쳐 내 지기를 감히 바랄 게.

작은 행복들 사이로 평화를 발견한 나의 작은 행운이 너에게도 가 닿기를 바랄 게.

너의 하루가 매일이 사소한 행복으로 가득 찬 평화로운 일상이 되기를 진심으로 바랄 게.

밤에 더 생각나

저 아득한 밤하늘은 무한의 빛들을 담고 있지만 내
눈에 보이는 건 극히 일부잖아.

너도 그래. 너의 가능성도 너의 빛도 무한하게 존재하지만 지금 당장 네 눈앞에 보이지 않을 뿐이야.

밤에 더 생각 날 거야.

네 앞이 저 캄캄한 하늘 같아서 세상을 살아 내기가 힘들겠지만 우리 한 치 앞만 보자.

 조금만 고개를 들면 예쁜 꽃이 밤하늘을 배경삼아 더 아름답게 만발해 있는 것을 보며 생각해 주길 바라.

너의 어둠이 있기에 너는 네가 원하는 것을 더 잘 알 수 있어. 네가 조금만 빛을 발해도 찬란하게 빛나고 너의 우주가 아름답고 아늑하게 느껴 질 거야.

 내가 언제나 함께 할 게.

버텨내고 버텨낼 게

우울과 불안이 순식간에 밀고 들어와 나를 잠식해도
버텨내고 버텨낼 것이다. 숨이 막혀오고 당장에
미쳐버릴 것만 같은 순간들이 찾아와도 나는 독하게
마음을 먹고 버텨내고 버텨낼 것이다.

오로지 너와 함께하는 이 세상을 조금 더 살고
싶다는 그 마음 하나로 버텨낼 것이다.

그러니 닿지 못하는 너에게 감히 바란다.

내가 버텨낼 수 있게 너도 버텨내 주기를 바란다.

조금만 버텨내 줘. 조금만 기운을 내 줘. 너는 해낼 수 있고 버텨낼 수 있어.

영원할 것만 같은 순간들이 찾아와도 너는 언제나 그랬듯이 버텨낼 거야. 영원하지 않을 거야.

언제나 바랐듯이 우리는 행복해질 거야.

우리는 살아 낼 거야.

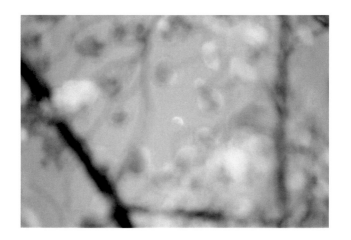

　나는 사랑하는 네가 이 세상을 조금 더 즐겼으면 좋겠어. 조금만 더 누렸으면 좋겠어. 너의 시선이 닿는 그 모든 곳이 나는 궁금해. 너의 시선으로 바라보는 세상이 궁금해. 그래서 네가 말해주는 세상을 들을 수 있다면 좋겠어.

　네가 바라보고 느끼는 세상을 알고 싶어.

네가 바라보는 세상이 전부 즐겁지만은 않겠지만 나는 듣고 싶고 알고 싶어. 네가 진심으로 기뻐하며 들려주는 세상이 궁금하고 네가 힘겨워 내뱉는 고통을 내가 알아주는 것만으로도 덜어 줄 수 있다면 기꺼이 덜어 주고 싶어.

 그러니 나는

너의 시선이 닿는 곳 그 어딘가에 항상 있을 게.

언제까지나 네 곁에 있어 줄 게.

무엇을 해도 재미가 없다. 맛있는 것을 먹어도 맛있는지 모르겠고 좋아하던 걸 해봐도 좋은 건지 싫은 건지 모르겠다. 그저 귀찮다.

아득하게 귀찮다. 세상을 왜 살아야 할까? 라는 생각까지 하게 된다. 모든 게 귀찮다. 사랑하는 것을 봐도 사랑하는지 모르겠다. 그저 쓸쓸하다.

모든 게 소용없어진 기분이다. 하염없이 잠이 쏟아진다. 하염없이 자다가 일어나 먹어야 하니 밥을 먹고 살고 싶어서 좋아하는 것들을 접하고 사랑하는 것들을 접한다.

생각이 꼬리에 꼬리를 물다가 마음 한 가운 데 생각이 돋는다.

그래도 나는 이 쓸쓸함을 사랑한다. 나의 살고자 하는 의지가 악착 같이 발버둥치는 통증이라는 것을 이제는 알기 때문이다.

자유롭게 날아다니는 새처럼 어디든지 다녀야지.

어디로든 떠나야지. 하고 싶은 건 뭐든지 해야지.

먹고 싶은 것이 생기면 먹고 갖고 싶은 게 있으면 가져야지. 아름다운 것을 보면 아름답다 말하고 슬픈 일을 겪으면 마음껏 울어야지.

보고싶은 영화가 있으면 혼자서도 재밌게 보고 카페에 가서 맛있는 디저트를 먹어야지.

그러다 산책이 하고 싶으면 마음껏 내 몸을 움직여 걷고 선선하게 부는 바람을 느끼고 바람에 실려오는 수풀냄새를 맡아야지.

언제든지 자유롭게 행동하고 살아가야지.

우리 언제든지 행복하고 자유롭게 같이 놀자.

사랑해. 영원히 사랑할 거야.

그러니 언제나 어디에서나 행복해야 돼.

내 사랑보다 훨씬 더 깊은 슬픔 속에 살고 있어도 괜찮아. 영원하지 않을 거라고 맹세해. 너는 언제나 언제든지 즐겁고 행복할 수 있어. 내가 영원히 사랑해.

너의 슬픔을 몰라줘서 미안해. 그래도 내가 알 수 있게 티 내줘서 고마워. 내가 너의 힘이 되어 줄 수 있게 알려 줘서 고마워. 말 했지. 나는 언제나 네 편이라고. 네가 버텨내고 이겨낼 힘이 되어 줄 수 있다면 그것만큼 나에게도 힘이 되는 게 없어.

그러니 언제나 어디에서나 사랑할 게. 네가 어디에 있든 영원히 사랑해.

오늘도 행복하기를 바랄 게

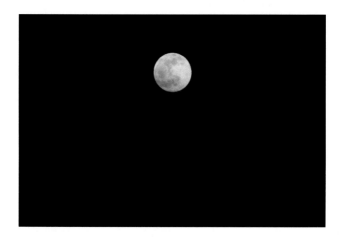

달빛마저 너의 길을 비춰 줄 거야.

네가 가는 어둡고 끝없는 골목을 비춰 줄 거야.
헤매지 않도록 알려 줄 거야.

무서워도 걸어가자. 불안해도 괜찮아. 쉬었다 가도
괜찮아. 힘들면 앉았다 가자.

단 한가지. 우리가 약속했던 것만 잊지 않으면 돼.

행복하기로 했던 약속 말이야.

고통 속을 헤매고 있어도 벗어 날 수 있어. 대신 꼭 떠올려 보는 거야. 네가 행복해질 수 있는 방법을 말이야. 우리는 반드시 행복해져야 돼.

행복은 말이야. 달빛을 바라볼 수 있다면 이것도 행복이고 무서워도 걷겠다 마음먹은 너의 용기도 행복이야. 불안해서 쉬고 싶은 너의 마음도 너를 지키고자 한 선택이니 행복이라고 생각해.

내일 뭘 먹을지. 내일 무슨 옷을 입을지. 이 고통에서 벗어나면 무엇을 할지 생각하는 것도 행복이라고 생각해. 어려운 건 없어. 우리는 여태 잘 해내 왔으니까. 그러니 잊으면 안돼.

너를 포기하고 싶은 순간이 오면 너의 행복만 생각해.

작은 흔적으로 살아가

네가 보여 준 미소가 아른거려서 살아낼 수 있어.
웃기다고 하겠지만 사실인 걸.

너의 그 미소에 마음이 울렁이던 그 느낌이 여전히 생생해. 네가 설레어 발을 구르던 모습이 아른거리고 네가 맛있는 것을 맛있게 먹고 쉼 없이 젓가락을 움직이던 그 작은 움직임들이 다시 보고 싶어서 나는 그 마음의 흔적으로 오늘도 살아가.

네가 부르고 듣던 노래를 들으면서도 하다 못해 작은 구름 한 조각에서도 너의 흔적을 느껴.

나는 네가 건내 준 마음 한 조각으로 오늘도 살아가.

부디 너도 그랬으면 좋겠다.

너도 네가 받은 사랑으로 오늘을 살아 갔으면 좋겠다.

네가 받은 사랑의 흔적들로 오늘도 살아내면 좋겠다.

함께 어디든지 가자

우리는 어디든지 무엇이든지 해낼 수 있어.

오늘도 잘 일어났을 거야. 기지개를 켜고 이불을 예쁘게 개키고 이불 밖으로 나왔을 거야.

물을 한 잔 마시고 견과류를 먹고 영양제도 챙겨먹었을 거야. 대충 차렸다 해도 든든한 밥을 먹고 귀찮지만 깨끗하게 씻었을 거야. 로션을 바르고 깨끗한 옷을 입었겠지.

하루를 시작하기 위해 아침부터 분주했을 거야. 잘했어. 정말로 잘했다 말해주고 싶어. 자. 이제 우리 어디로 갈까?

오늘은 날이 좋으니 가볍게 산책을 하자.

느긋하게 걸으며 지나가는 곤충을 구경하고 날아가는 새를 구경하자. 길가에 핀 꽃을 보고 길가에 쭈그려 앉아 원하는 클로버를 찾자.

그러다 목이 마르면 물 한잔 마시자. 걱정하지 마.

나랑 언제나 함께 어디든지 가자. 내가 있어 줄 게.

함께라서 즐거워

너와 있으면 매일이 즐거워.

너랑 있으면 행복해. 네가 언제나 행복했으면 좋겠어.

내가 행복한 것 보다 더 행복했으면 좋겠어.

우리 내일도 같이 놀자. 내일도 함께하자.

내일 또 만나.

내일 또 만나자.

내가 기다릴 게.

네가 포기해도 나는 언제나 너와 함께 할 거야. 나는 영원히 너를 사랑할 거야.

언제나 하는 말이지만 나는 너를 사랑해. 너의 시선이 닿는 곳 그 어딘가에 너를 응원하는 내 마음을 담아 줄 수 있다면 기꺼이 그렇게 하고 싶을 만큼 너를 응원하고 있어.

오늘도 수고 고생 많았어.

오늘도 사랑해.

사랑해.

사랑해.

사랑해.

언제까지나 사랑할 게.

-

인연

내 눈에 담긴 네가 말하네

내 눈에 네가 담기면 내 세상에 네가 전부라고

나 또한 내 세상에 네가 전부인데

네가 또 말하네

우리는 인연이 아니라고

흘러가는 인연 중 하나라고

너는 바다처럼 흘러가고

나는 모래처럼 흩어지네

나는 네가 떠나도

너를 따라가네

우리는 흘러가는 인연이니까.

우연

우연히 당신과 눈빛이 스친다면

나는 세상을 다 가진 기분으로

당신을 떠나 보낼 거 에요.

그 우연을 위해

당신을 놓지 못했다 여겼는데

당신을 마침내 떠나 보내면

햇빛이 닿은 흙바닥을 밟으며

내 길을 걸어 갈 거 에요.

생각만으로도 축복이 가득한 우연입니다.

연

당신에게 닿기를

내 미련과 그리움이

연처럼 날아 올라서

당신에게는 오늘을 살아 낼 힘으로 가 닿기를.